LE SOLEIL

Conception :
Émilie BEAUMONT

Textes :
Hélène GRIMAULT

Illustrations :
Jacques DAYAN

Conseiller scientifique :
Gilles DAWIDOWICZ

FLEURUS ÉDITIONS, 15-27, rue Moussorgski, 75018 PARIS
www.fleuruseditions.com

UNE BOULE DE FEU

Le Soleil n'est pas une planète, mais une étoile, constituée surtout d'hydrogène (à 74 %) et d'hélium (à 25 %). Cette grosse boule de gaz, d'un rayon de 700 000 km environ, soit 110 fois celui de la Terre, renvoie son énergie sous forme de lumière et de chaleur. Elle s'est formée il y a 4,6 milliards d'années, et il lui reste autant de temps à vivre. C'est une gigantesque fournaise : à sa surface, la température avoisine les 5 500 °C et elle atteint 15 millions de degrés dans le noyau ! Il est impossible de s'approcher du Soleil à moins de plusieurs dizaines de millions de kilomètres, sous peine d'être brûlé.

La place du Soleil dans la Galaxie

Le Soleil n'est qu'une étoile parmi les 200 à 400 milliards d'autres qui peuplent la Voie lactée, notre galaxie. C'est même une toute petite étoile, comparée à d'autres. Sur l'illustration ci-dessous, on peut voir la position du Soleil dans la Voie lactée.

Soleil ....

Une boule de gaz

Le Soleil a la forme d'une sphère quasi parfaite, très légèrement aplatie aux pôles. Mais, comme sa surface n'est pas solide, car il est essentiellement composé de gaz, ses contours extérieurs ne sont pas nettement définis. En revanche, on connaît sa composition interne. Il est constitué de plusieurs couches.

La couronne

Étendue sur plusieurs millions de kilomètres, c'est en quelque sorte l'atmosphère du Soleil, sauf qu'elle est irrespirable et étouffante, la température y frôlant le million de degrés ! On peut l'apercevoir lors des éclipses totales. De la matière peut s'échapper de la couronne : ce sont les éjections coronales, des éruptions solaires géantes et très violentes.

La chromosphère

C'est une petite couche de 2 000 à 3 000 km d'épaisseur, située entre la photosphère et la couronne, et d'où partent des jets de gaz, les spicules, pouvant atteindre 10 000 km de haut. Il y fait 10 000 °C. La raison de cette remontée de température entre la photosphère et la chromosphère est encore un mystère.

Les taches solaires

Ce sont des zones de la surface (la photosphère) plus sombres et plus froides (4 000 °C), où le champ magnétique solaire est plus important. Elles peuvent atteindre 50 000 km de diamètre et durent de quelques heures à plusieurs mois.

Au centre du Soleil se trouve le noyau. Il bout à 15 millions de degrés et il s'y exerce une pression tellement énorme que le gaz devient fluide. C'est là que, sous l'effet de la chaleur intense, ont lieu les réactions physiques qui transforment l'hydrogène en hélium, produisant l'énergie solaire.

La couche qui entoure le noyau est une zone sans réaction nucléaire, où la température baisse. L'énergie produite par le noyau y est conduite vers la couche supérieure par radiation, c'est-à-dire par émission de rayons.

La zone convective

On l'appelle aussi zone de turbulences, car elle est agitée de mouvements en boucles qui transportent vers la surface l'énergie solaire venue de la zone radiative et du noyau.

zone convective

zone radiative

rayons lumineux

rayons ultraviolets

rayons infrarouges

trajet de l'énergie

noyau

La photosphère

C'est la surface du Soleil, épaisse de 400 km environ, et dont la température est de 5 500 °C. Elle est constituée de granules de la taille d'un pays comme la France et semble bouillonner à cause du mouvement des gaz dans la zone convective située juste en dessous. La photosphère rejette des quantités impressionnantes d'énergie (plusieurs milliards de kilowatts) sous forme de rayonnement solaire, un peu comme une lampe géante. Si le Soleil brille, c'est grâce à elle !

Une étoile pleine d'énergie

C'est dans le noyau que se fabrique l'énergie solaire. Les atomes d'hydrogène, qui s'entrechoquent sans cesse, fusionnent pour se transformer en hélium, ce qui libère une énergie phénoménale. Chaque seconde, 610 millions de tonnes d'hydrogène sont ainsi converties en hélium. Partie du noyau, cette énergie met 1 million d'années pour atteindre la surface, puis voyage sous forme de particules et de différents rayons à la vitesse de 300 000 km/s. Les rayons infrarouges, invisibles, transmettent la chaleur ; les rayons lumineux, visibles, sont à l'origine de la lumière du jour et des couleurs ; les rayons ultraviolets, eux, sont imperceptibles à l'œil humain

Les protubérances

À la surface du Soleil se produisent parfois des protubérances, de violentes explosions atteignant généralement 150 000 km de haut (et parfois 500 000 km !) et une température de 1 million de degrés. Certaines sont grosses comme 30 Terres

Qu'est-ce que le magnétisme ?

Le magnétisme est une force qui fait que deux pôles identiques de deux aimants (nord-nord, par exemple) se repoussent et deux pôles opposés (nord-sud) s'attirent. Si on approche une poignée d'aiguilles d'un aimant, elles s'organisent en boucles autour de lui : il se forme un champ magnétique. Le Soleil agit comme un aimant : il crée dans l'espace qui l'entoure une force qui attire ou repousse certains corps. Tout le voisinage de l'étoile est touché par ce champ magnétique.

Le champ magnétique solaire

Le champ magnétique solaire est représenté par des lignes qui jaillissent des pôles. Mais le Soleil n'est pas statique, il tourne sur lui-même en 27 jours en moyenne. Or la matière qui le constitue tourne plus rapidement en son cœur qu'à la surface, et plus vite à l'équateur (en 25 jours) qu'aux pôles (en 35 jours). Cela donne lieu à une agitation intense et les lignes du champ magnétique s'entortillent en permanence, formant un vrai sac de nœuds complètement instable. De plus, le champ magnétique solaire est sans cesse modifié lors des éruptions et varie au cours du cycle solaire.

Une éruption solaire envoie dans l'espace un déluge de particules énergétiques qui peuvent perturber le champ magnétique terrestre.

Les lignes du champ magnétique du Soleil sont invisibles, mais on peut les deviner, car les protubérances suivent leur trajectoire et forment parfois des boucles.

L'avenir du Soleil

Comme toutes les étoiles, le Soleil a une durée de vie limitée. On estime qu'il est aujourd'hui arrivé à la moitié de son existence. D'ici 2 milliards d'années, le rayonnement solaire augmentera de 40 % et fera de la Terre une fournaise invivable. Par ailleurs, les réserves d'hydrogène du Soleil ne sont pas inépuisables : lorsqu'elle aura transformé tout son hydrogène en hélium, l'étoile solaire, dont le volume aura considérablement augmenté (environ 200 fois son volume actuel), deviendra une géante rouge (1), qui se mettra à engloutir les unes après les autres les premières planètes du système solaire. Puis le Soleil rapetissera jusqu'à devenir une naine blanche de la taille de la Terre (2). Quand cette naine blanche ne brillera plus, elle deviendra une naine noire invisible (3). Et ce sera la mort du Soleil.

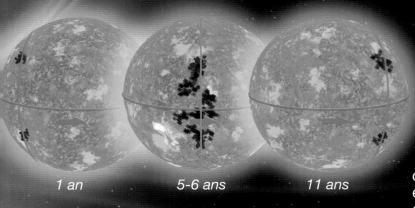

1 an   *5-6 ans*   *11 ans*

Les cycles solaires

La vie du Soleil n'est pas de tout repos. Des périodes de calme alternent avec des périodes d'agitation selon un cycle qui dure en moyenne 11 ans. Au cours de chaque cycle solaire, le champ magnétique s'inverse par rapport au cycle précédent : au bout de 11 ans, le pôle Nord est devenu le pôle Sud. Le milieu du cycle est caractérisé par un pic d'activité magnétique et une multiplication des taches solaires et des éruptions de la couronne. Il semblerait aussi qu'en période de forte activité le diamètre du Soleil soit moins important et sa luminosité plus forte.

magnétosphère terrestre

Les répercussions de l'activité solaire sur la Terre

L'activité du Soleil génère constamment des vents solaires. Ceux-ci sont formés de particules chargées électriquement qui s'échappent de la couronne et parcourent le système solaire à une vitesse de 450 km/s. Ils sont plus forts lorsque le Soleil est à son maximum d'activité et qu'ils se conjuguent à des éruptions solaires. La Terre est normalement protégée des vents solaires par la magnétosphère, une sorte de bouclier magnétique qui empêche certains rayonnements venus de l'espace de traverser l'atmosphère terrestre. Mais parfois ce bouclier est inefficace. Lorsqu'ils atteignent la Terre, les vents solaires provoquent des orages magnétiques à l'origine des splendides aurores polaires (voir p. 19). Ils peuvent aussi perturber le fonctionnement des satellites et des bateaux, des réseaux de communication comme Internet, détraquer les GPS, griller les lignes électriques... Les coûts pour réparer les dégâts sont souvent très importants !

L'une des plus violentes tempêtes solaires que la planète ait connue s'est produite en 1859. Elle a mis moins de 18 heures pour atteindre la Terre. Les effets magnétiques ont été tels que des aurores « polaires » ont été visibles à Rome, en Italie, bien au-delà des pôles. Heureusement, à l'époque, les moyens de communication n'étaient pas encore très développés. Seul le télégraphe a été touché.

Les particules magnétiques dégagées lors des tempêtes solaires accélèrent la rouille de l'acier, matériau constituant les pipelines, qui transportent le gaz et le pétrole. Le risque : des fissures, qu'il faut réparer pour éviter les fuites !

En 1989, une partie du Québec a été privée d'électricité pendant 9 heures à la suite d'un orage magnétique qui a fait disjoncter le réseau.

LE SYSTÈME SOLAIRE

Autour du Soleil gravitent 8 planètes, au moins 5 planètes naines, plusieurs centaines d'astéroïdes et de comètes, et d'autres corps célestes. Ensemble, ils forment le système solaire, né il y a 4,6 milliards d'années environ. À lui seul, le Soleil représente 99,9 % de la masse du système. Parmi les planètes, on distingue les rocheuses, à la surface solide, et les gazeuses. Autour du Soleil, les planètes ne tournent pas toutes à la même vitesse : plus elles en sont éloignées, plus il leur faut du temps pour en faire le tour.

Les planètes rocheuses ou telluriques

Mercure, Vénus, la Terre et Mars se sont formées à proximité du Soleil, là où seuls les éléments durs (silicates ou métaux) et lourds pouvaient résister à la chaleur. Les poussières se sont agglomérées pour donner naissance à des objets rocheux, à la surface solide : ce sont les planètes rocheuses ou telluriques, petites et denses.

Les planètes gazeuses

Plus loin du Soleil, là où les températures sont beaucoup plus froides, de la glace entoure les grains de poussière et les gaz comme l'hélium ou l'hydrogène. Par l'agglutination de ces particules et gaz, des corps gazeux ou glacés se sont formés : Jupiter, Saturne, Uranus, Neptune sont les planètes gazeuses, géantes et légères. Elles n'ont pas de surface solide, c'est-à-dire pas de sol sur lequel on pourrait marcher !

Neptune, la planète la plus éloignée du Soleil, met 165 années terrestres à en faire le tour !

La naissance du système solaire

Tout est parti de l'effondrement d'un énorme nuage de poussières et de gaz tourbillonnants, la nébuleuse solaire (1). Cela a entraîné une augmentation de la température, et la nébuleuse a formé une boule de gaz très chauds qui a continué de croître et de tourner sur elle-même (2). Au milieu de la boule, le plus gros de la matière s'est concentré et a donné naissance au Soleil. Poussières et blocs rocheux, attirés par l'étoile, se sont mis à tourner autour d'elle, et la nébuleuse a alors pris la forme d'un disque (3). Puis les roches, poussières et gaz n'ayant pas servi à la formation du Soleil et qui gravitaient autour de lui se sont agglutinés et sont devenus les planètes (4). Tout cela a pris 700 millions d'années environ.

Le système solaire n'est pas figé dans la Voie lactée, il se déplace à la vitesse de 220 km/s. Depuis qu'il est né, il a fait une vingtaine de fois le tour de la Galaxie. Un tour de Galaxie s'appelle une année galactique et dure 225 à 250 millions d'années.

Vénus

Mercure

Mars

Terre

Lune

Jupiter

ceinture d'astéroïdes

comète

La différence entre une étoile et une planète, c'est que la première émet sa propre lumière, alors que la seconde ne brille pas par elle-même : elle renvoie la lumière d'un autre astre lumineux.

La ceinture d'astéroïdes

Entre Mars et Jupiter s'est formé un mur d'astéroïdes (d'autres gros « cailloux » qui gravitent autour du Soleil), traçant ainsi une ligne de démarcation entre les planètes rocheuses et les planètes gazeuses. Cette « ceinture » est immense (200 millions de kilomètres de large) et comprend près de 500 000 corps rocheux, qui sont le résultat de grains de matière n'ayant pas réussi à s'agréger pour donner naissance à une planète. On en découvre toujours plus.

Saturne

Uranus

Pourquoi la vie ne s'est-elle développée que sur une seule planète ?

C'est l'eau qui permet la vie sur les planètes. Et, pour que les planètes puissent en posséder à l'état liquide, elles doivent être à la bonne distance du Soleil. Trop près, l'eau s'évapore sous l'effet de la chaleur intense des rayons ; trop loin, elle gèle. C'est entre 142 et 235 millions de kilomètres que se situe la « région habitable » du système solaire. Mars et la Terre se trouvent dans cette zone. Mais, aujourd'hui, seule la Terre est porteuse de vie. L'atmosphère de Mars est trop fine et ne maintient pas la planète à la bonne température.

Depuis août 2006, **Pluton** fait partie des planètes naines.

11

LE SOLEIL ET LA TERRE

C'est grâce au Soleil que la vie est apparue sur Terre. Depuis 4,6 milliards d'années, il lui apporte lumière et chaleur. Situé à environ 150 millions de kilomètres de la planète bleue, il en est suffisamment éloigné pour ne pas la brûler, et suffisamment proche pour qu'elle ne soit pas transformée en un bloc de glace invivable. Sans lui, il ferait éternellement nuit et froid, et la Terre serait dépourvue de toute forme de vie. Maître du vent et de l'eau, le Soleil est aussi responsable des saisons et des climats.

À l'origine de la vie

La lumière du Soleil est une source d'énergie fondamentale pour les êtres vivants. Elle est le point de départ de toute une chaîne : les carnivores, pour vivre, se nourrissent d'animaux herbivores, qui se nourrissent de plantes, qui elles-mêmes se nourrissent de la lumière du Soleil. De plus, l'énergie solaire réchauffe l'eau des océans, qui s'évapore. En altitude, cette vapeur d'eau se transforme en gouttelettes qui s'agglutinent pour former les nuages, lesquels se déversent en pluie, neige ou grêle. Le Soleil est donc à l'origine du cycle de l'eau, indispensable à la vie.

Le trajet des rayons solaires

La lumière échappée de la surface du Soleil parvient sur la Terre en 8 minutes. Mais tous les rayons solaires n'atteignent pas le sol terrestre. Une partie d'entre eux est arrêtée par l'atmosphère et directement renvoyée dans l'espace. Les rayons lumineux absorbés par la surface de la Terre, eux, sont transformés en chaleur et s'échappent à nouveau sous forme de rayons, qui rebondissent en partie sur les gaz à effet de serre (vapeur d'eau, gaz carbonique, méthane et ozone) présents dans l'atmosphère, avant d'être ramenés vers la Terre comme un boomerang. À la manière des vitres d'une voiture qui emprisonnent la chaleur à l'intérieur du véhicule, les gaz à effet de serre réchauffent le globe terrestre en piégeant une partie de la chaleur du Soleil. Sans eux, la température moyenne à la surface de la planète serait de − 18 °C alors qu'elle est actuellement de 15,5 °C, et les mers et océans seraient complètement gelés !

1. Une partie des rayons lumineux est directement renvoyée dans l'espace par l'atmosphère terrestre, une partie est absorbée par elle, et le reste frappe la surface de la Terre et la réchauffe.

2. Réchauffée par les rayons lumineux, la surface de la Terre renvoie à son tour des rayons de chaleur. Une partie de ces rayons s'échappe vers l'espace, mais la majorité est absorbée par les gaz à effet de serre contenus dans l'atmosphère.

La photosynthèse

C'est grâce à la lumière solaire que poussent les végétaux. La plante contient un pigment, la chlorophylle, qui lui donne sa couleur verte, mais qui, surtout, capte les rayons du Soleil. Elle utilise cette énergie solaire pour transformer en sucres le gaz carbonique qu'elle absorbe dans l'air et l'eau qu'elle puise dans le sol. Ces sucres vont ensuite circuler dans la sève du végétal et lui permettre de grandir. Ce mécanisme s'appelle la photosynthèse. Au cours du processus, la plante libère également de l'oxygène, indispensable aux hommes et aux animaux.

gaz carbonique + eau

oxygène

La course du Soleil

Chaque jour, le Soleil semble dessiner un arc de cercle dans le ciel. Il se lève à l'est, puis monte pour atteindre son zénith (sa position la plus haute) à midi. C'est à ce moment de la journée qu'il fait le plus chaud. Puis il redescend pour se coucher à l'ouest. Pourtant, ce n'est pas le Soleil qui bouge, mais la Terre. Elle tourne en effet sur elle-même en 24 heures, soit une journée.

midi

matin

soir

3. L'atmosphère, ainsi réchauffée par ces rayons venus du sol, envoie à nouveau vers la Terre des rayons de chaleur qui la maintiennent à une température propice à la vie.

② ③

Au rythme du Soleil

De nombreuses plantes vivent au rythme du Soleil. Ainsi, la fleur de tournesol, quand elle est jeune et que sa tige est encore souple, suit la ronde du Soleil : le matin, elle est tournée vers l'est, à midi, elle pointe vers le Soleil et, le soir, elle regarde vers l'ouest. Elle capte ainsi le plus de lumière possible pour permettre la photosynthèse et assurer sa croissance.

Le Soleil fait les saisons

La Terre fait le tour du Soleil en une année. Comme elle est légèrement inclinée sur son axe de rotation, l'un de ses pôles penche toujours plus que l'autre vers le Soleil. Pendant les 6 premiers mois de l'année, c'est le pôle Nord : l'hémisphère Nord reçoit alors plus de lumière et de chaleur, et c'est le printemps puis l'été (alors que c'est l'automne et l'hiver dans l'hémisphère Sud). Les 6 mois suivants, c'est le contraire : le pôle Sud est davantage incliné vers le Soleil, et c'est l'été dans l'hémisphère Sud et l'hiver dans l'hémisphère Nord.

Le jour et la nuit

La Terre tourne autour du Soleil, qui brille 24 heures sur 24. Dans la zone éclairée qui fait face au Soleil, il fait jour, et dans la zone plongée dans l'obscurité, il fait nuit. Comme la Terre tourne aussi sur elle-même, nuit et jour alternent sans arrêt. Selon les endroits et les saisons, la durée du jour et de la nuit varie.

Climat polaire : hivers longs et glacials, étés un peu moins froids.

Climat équatorial : chaud et humide toute l'année, avec une courte saison sèche.

Pourquoi fait-il plus froid aux pôles qu'à l'équateur ?

L'équateur est une ligne imaginaire qui sépare le globe en deux parties : l'hémisphère Nord et l'hémisphère Sud. C'est parce que la Terre est ronde que les rayons solaires chauffent davantage à l'équateur qu'aux pôles. Aux pôles, les rayons parviennent à la surface en biais ; ils sont plus rasants et s'étalent sur une plus large zone. Il fait donc plus froid. Dans l'Antarctique, au pôle Sud, il peut faire jusqu'à – 90 °C. En revanche, à l'équateur, les rayons frappent le sol perpendiculairement, sans être déviés. L'énergie reçue est donc plus concentrée, et il fait plus chaud.

Pourquoi fait-il plus chaud l'été ?

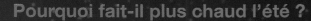

L'été, s'il fait plus chaud, ce n'est pas parce que le Soleil brille plus fort ou que la Terre se rapproche du Soleil. C'est même en janvier que la Terre est le plus proche du Soleil et en juillet qu'elle en est le plus éloignée. Non, si les températures montent, c'est parce qu'en été la Terre est positionnée de telle façon que le Soleil est alors plus haut dans le ciel, et qu'ainsi ses rayons tombent verticalement et vont droit au but, se concentrant sur un endroit donné. L'hiver, le Soleil est plus bas sur l'horizon, et les rayons solaires, qui ne tombent pas droit, répartissent la chaleur sur une plus grande surface ; ils perdent donc en intensité. De plus, les journées étant plus longues en été, le Soleil a plus de temps pour chauffer la Terre, et le thermomètre grimpe.

Climat tempéré : 4 saisons (printemps, été, automne, hiver). Hivers froids et pluvieux, étés plus doux et plus secs.

Climat désertique : peu de pluies, journées très chaudes et nuits très froides.

Zone froide
Zone tempérée
Zone chaude

Les climats

La chaleur reçue du Soleil est transportée par l'atmosphère et les océans, et répartie sur la planète. De manière générale, plus on s'éloigne de l'équateur pour aller vers les pôles, plus il fait froid. Mais plusieurs facteurs peuvent faire varier le climat terrestre d'une région à l'autre et d'une saison à l'autre : la présence de la mer, d'une montagne, d'une forêt ou d'un fleuve... Selon la surface, la chaleur n'est pas non plus réfléchie de la même façon. En fonction du climat et de l'ensoleillement, la végétation diffère. Dans les déserts, il fait très chaud et les précipitations sont faibles : la végétation est rare. Les régions équatoriales, chaudes et humides, sont quant à elles caractérisées par une végétation luxuriante.

LE SOLEIL ET LE CLIMAT TERRESTRE

Le Soleil, qui réchauffe la Terre, influe évidemment sur l'évolution des températures. Or, ces dernières années, le climat terrestre a connu des modifications importantes, et notamment un réchauffement marqué. Bien sûr, le climat a toujours évolué naturellement depuis la naissance de la Terre, en partie à cause des variations de son orbite autour du Soleil et de l'oscillation de son axe de rotation. Mais, à l'heure où les activités humaines sont surtout mises en cause, quel rôle le Soleil joue-t-il dans les changements climatiques ?

Lors du petit âge glaciaire, le nord de l'Europe a connu des hivers très rudes et des étés pluvieux et froids. À Londres, l'hiver, on pouvait marcher sur la Tamise gelée.

Les colères du Soleil

Pour certains scientifiques, le cycle solaire et le nombre de taches solaires pourraient avoir une incidence sur le climat de la Terre. Ce qui est sûr, c'est que moins il y a de taches, moins le Soleil brille, et on observe dans ce cas un refroidissement de la température terrestre de 0,5 à 1 °C. Entre 1450 et 1850, par exemple, l'hémisphère Nord a été touché par un « petit âge glaciaire », une longue période caractérisée par des températures très basses, même en été, et une avancée des glaciers, qui engloutirent des villages entiers. La température moyenne de l'hémisphère Nord aurait alors chuté de 1 à 2 °C. Des relevés astronomiques révèlent une quasi-absence de taches à la surface du Soleil entre 1645 et 1715, et une baisse de la lumière de 0,3 %. Mais les variations d'énergie et de luminosité au cours du cycle solaire sont minimes (de l'ordre de 0,1 %). À l'évidence, le Soleil ne peut pas être totalement responsable du réchauffement accéléré de ces dernières années.

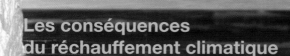

Les conséquences du réchauffement climatique

Depuis 1860, on a pu observer un réchauffement du climat de 0,6 °C, qui serait dû en grande partie à l'augmentation des gaz à effet de serre dans l'atmosphère. Si ce réchauffement venait à s'amplifier, comme le craignent les climatologues, l'équilibre écologique de la Terre pourrait être perturbé. Certains phénomènes, déjà observables, pourraient s'accélérer : la fonte puis la disparition des glaciers, l'avancée des déserts, la multiplication des ouragans...

À cause du réchauffement climatique, les glaciers fondent à une vitesse inquiétante.

Quelques scientifiques mettent directement en cause le Soleil dans les changements climatiques. Selon eux, le magnétisme solaire protégerait la Terre du rayonnement cosmique, des particules énergétiques venues de la Galaxie qui seraient à l'origine de la formation de nuages. La Terre recevrait donc davantage de rayons cosmiques quand le Soleil est calme et que son magnétisme est moins important. Il y aurait alors plus de nuages, qui, en bloquant les rayons du Soleil, entraîneraient une chute des températures. À l'inverse, lors de la phase agitée du cycle solaire, la Terre subirait moins de rayonnement cosmique. Il se formerait alors moins de nuages et, les rayons solaires traversant l'atmosphère plus facilement, il ferait plus chaud.

Une question d'équilibre

Le climat de la Terre peut être naturellement perturbé si la planète reçoit moins de rayonnement solaire ou si elle en reçoit davantage : dans le premier cas, elle se refroidit ; dans le second, elle se réchauffe. Ainsi, une éruption volcanique peut refroidir le climat terrestre, car les fines particules de cendres et de gaz expulsées se dispersent tout autour de la Terre et peuvent rester plusieurs années dans la haute atmosphère. Elles font écran aux rayons du Soleil, qui ne peut plus réchauffer la planète de la même manière. L'éruption du volcan Tambora, en Indonésie, le 10 avril 1815, a fait chuter la température moyenne de l'hémisphère Nord de 0,5 à 1 °C pendant l'année suivante.

Après l'éruption du Pinatubo en 1991, les fines poussières et cendres projetées ont fait plusieurs fois le tour de la Terre pendant trois ans. Les températures ont chuté en 1992 et 1993. La présence de ces particules dans l'atmosphère a également donné lieu à des couchers de soleil d'un rouge flamboyant.

JEUX DE LUMIÈRE

La lumière du Soleil apparaît blanche, mais elle est en fait un mélange de 7 couleurs qui, vues simultanément, donnent l'impression du blanc. Cette lumière se propage à travers le ciel et, selon les obstacles qu'elle rencontre dans l'air (poussières, gaz, gouttelettes d'eau…), les couleurs qui la composent dévient de leur trajectoire, se séparent et prennent des directions différentes. Certaines couleurs sont alors diffusées dans l'air plus facilement que d'autres, et donc plus visibles. C'est ainsi que le ciel semble prendre une teinte différente selon le moment de la journée. On assiste aussi parfois à des jeux de lumière étonnants.

Le Soleil déformé

Le soir, par temps clair, le Soleil couchant apparaît parfois comme découpé en plusieurs morceaux. Chaque « tranche » correspond en fait à une couche d'air de température différente que les rayons solaires ont dû traverser.

Coucher et lever du Soleil

À son lever et à son coucher, le Soleil est bas sur l'horizon. Ses rayons lumineux arrivent en biais et doivent donc traverser une couche d'atmosphère plus épaisse qu'en pleine journée, lorsque le Soleil est haut dans le ciel. Or toutes les couleurs qui composent la lumière solaire ne parviennent pas à passer à travers une telle épaisseur d'atmosphère : seuls le rouge et l'orange y arrivent. Quand le Soleil se lève ou se couche, ce sont donc ces couleurs qui parviennent jusqu'à nous et que nous percevons, les autres s'étant dispersées dans l'air bien avant d'être visibles depuis la Terre.

Parfois, un second arc se forme au-dessus de l'arc-en-ciel, présentant les mêmes couleurs, mais dans l'ordre inverse.

L'aurore polaire

L'Univers est en permanence balayé par des vents solaires qui envoient dans l'espace des particules énergétiques. Celles-ci peuvent atteindre le champ magnétique terrestre, qui normalement protège la Terre de ces projections. Mais parfois les particules s'introduisent dans les couches supérieures de l'atmosphère, entre 100 et 400 km d'altitude, aux alentours des pôles, et réagissent avec les molécules de gaz et les atomes présents dans l'air. Cela produit des effets lumineux d'une grande beauté : le ciel est alors traversé de gigantesques écharpes flamboyantes, vertes, jaunes ou rouges. Ce sont les aurores polaires, appelées aurores australes au pôle Sud et aurores boréales au pôle Nord.

C'est surtout aux pôles que se produisent les aurores, mais on en a aperçu en France en 1989 et dans le sud de l'Europe en 2003.

L'arc-en-ciel

Lorsque la lumière émise par le Soleil passe à travers des gouttelettes d'eau en suspension dans l'air (après une averse ou un orage), les 7 couleurs qui la composent se dispersent, et chacune devient visible distinctement. Elles apparaissent en arc de cercle, toujours dans le même ordre, de l'extérieur vers l'intérieur : rouge, orange, jaune, vert, bleu, indigo et violet. Pour apercevoir un arc-en-ciel, il faut avoir la pluie devant soi et se trouver dos au soleil. Plus les gouttes de pluie sont grosses, plus les couleurs de l'arc sont éclatantes.

Le rayon vert

Ce phénomène très rarement visible a été rapporté par des marins revenus de voyages en haute mer. Au coucher du Soleil, quand l'air est très pur, le ciel clair et l'horizon bien dégagé, ils ont pu apercevoir pendant une fraction de seconde un flash bleu-vert, juste avant la tombée de la nuit. Ce phénomène est lui aussi dû à la décomposition de la lumière solaire. Quand le Soleil se couche, ses couleurs disparaissent une à une, et le vert reste la dernière lueur visible.

Les rais lumineux

Quand le Soleil est caché par un nuage, un arbre, de l'eau ou un autre obstacle, sa lumière est filtrée et renvoyée sous forme de grandes bandes claires qui se propagent dans toutes les directions. C'est un phénomène que l'on peut observer très fréquemment.

Le halo

Lorsqu'il brille à travers de fins nuages très élevés dans le ciel et constitués de cristaux de glace, le Soleil est parfois entouré d'un anneau jaune ou blanc. Cela parce que sa lumière se reflète dans les cristaux de glace comme dans de petits miroirs.

Frères jumeaux ►

En montagne ou dans les régions polaires, quand l'horizon est bien dégagé, un effet d'optique fait apparaître deux petits soleils de part et d'autre du vrai Soleil. Là encore, la lumière est réfléchie par les cristaux de glace dans les nuages élevés. Le phénomène est appelé « parhélie » ou « faux soleils ».

▲ La colonne solaire

À basse température, les gouttelettes d'eau présentes dans le ciel se transforment en cristaux de glace qui peuvent agir comme de petits miroirs renvoyant la lumière. C'est ainsi que, fréquemment, des colonnes (ou piliers) solaires apparaissent à la verticale, au-dessous ou au-dessus du Soleil, à son coucher ou à son lever.

La Lune tourne autour de la Terre, qui tourne autour du Soleil. Dans ce chassé-croisé permanent, il arrive que, momentanément, les trois astres soient alignés. Si, dans cet alignement parfait, la Lune passe entre la Terre et le Soleil, celui-ci est caché (ou éclipsé). Quand l'éclipse est totale, les rayons de l'astre ne peuvent plus passer. Sur Terre, la température baisse et la nuit tombe, même en pleine journée ! C'est un phénomène très localisé, visible d'un seul endroit de la planète, et très court : quelques minutes au plus. La dernière éclipse de Soleil visible depuis la France remonte au 11 août 1999. Pour assister à la prochaine, il faudra attendre l'an 2081 !

Schéma d'une éclipse totale de Soleil

Bien que 400 fois plus petite que le Soleil, la Lune nous apparaît de même taille, car elle se situe aussi 400 fois plus près de la Terre que lui. Quand elle masque entièrement le Soleil, c'est une éclipse totale ; si seulement une partie du Soleil est cachée, c'est une éclipse partielle.

Quand la Lune est située entre la Terre et le Soleil, mais trop loin de la Terre pour pouvoir cacher le Soleil tout entier, on voit encore une partie du disque solaire, qui forme une sorte d'anneau : il s'agit d'une éclipse annulaire.

L'anneau de diamant apparaît juste avant que le Soleil ne soit complètement caché, puis juste avant qu'il ne réapparaisse, quand la Lune se retire.

Éclipse de Soleil partielle

◀ **L'ombre**

L'ombre se forme derrière les corps opaques, qui ne laissent pas passer la lumière du Soleil. La taille de l'ombre varie selon la distance entre l'objet éclairé et la source lumineuse. Elle se déplace aussi au cours de la journée, suivant la course du Soleil. À midi, quand celui-ci est très haut dans le ciel, elle disparaît presque. La nuit, quand il n'y a pas de lumière, il n'y a pas d'ombre.

LE SOLEIL : AMI OU ENNEMI ?

Le Soleil est à l'origine du développement de la vie sur Terre. Dans nos régions, il est souvent synonyme d'été, de vacances… donc, associé au bien-être. Et il est certain que le Soleil a de nombreux effets bénéfiques sur la santé. Le manque de luminosité peut même entraîner de graves carences. Pourtant, si on en abuse, le Soleil se transforme vite en enfer. Ses rayons ultraviolets, même invisibles, agissent, et leurs effets sont dévastateurs : s'ils sont absorbés en trop grande quantité, ils peuvent faire exploser les cellules de la peau et provoquer des cancers.

La lumière contre la déprime

Le manque de soleil peut provoquer des déprimes. Ainsi, le nombre de dépressions augmente en automne et en hiver. La baisse de la luminosité à cette période entraîne une carence en vitamine D. Or, celle-ci n'agit pas seulement sur les os : elle produit aussi une hormone qui influe sur le moral, la sérotonine. Sans lumière, pas de vitamine D et, sans vitamine D, pas de sérotonine. Et le moral baisse…

D'autre part, la nuit, le corps sécrète de la mélatonine, une hormone qui fait dormir, alors que le jour, sa faible quantité permet de rester actif. En automne et en hiver, les nuits étant plus longues, le taux de mélatonine reste élevé plus longtemps. Résultat : on n'a pas envie de sortir du lit ! Ce manque d'entrain, le plus souvent passager, se transforme parfois en dépression plus profonde, que l'on peut traiter à l'aide de grosses lampes qui remplacent la lumière du Soleil. Les patients s'y exposent entre une demi-heure et une heure par jour.

Le Soleil, bon pour la santé

Sans Soleil, pas de vie possible. En plus de fournir l'énergie nécessaire à la photosynthèse (voir pages 12-13), ses rayons lumineux, en agissant sur la peau, favorisent la fabrication de la vitamine D, qui aide à conserver et à solidifier les os et les dents. C'est elle qui permet aux enfants de grandir, en fixant le calcium sur le squelette. Grâce au Soleil, le corps fait les réserves nécessaires pour couvrir les besoins en vitamine D. Quelques minutes d'exposition par jour suffisent pour faire le plein.

Si la crème solaire est indispensable pour protéger la peau des rayons ultraviolets, ce n'est pas non plus le remède miracle : elle ne filtre pas les UV à 100 %. Chapeau, lunettes et T-shirt, ainsi qu'une exposition limitée et raisonnée (pas entre midi et 16 heures !), restent encore la meilleure protection.

Les ultraviolets : attention, danger !

Malheureusement, tous les rayons solaires ne sont pas bénéfiques. Les ultraviolets (UV) sont même très nuisibles. On en distingue trois types : les UV A, B et C. Les UV C, les plus nocifs, ne parviennent pas jusqu'à nous : ils sont arrêtés par la couche d'ozone à 25 km d'altitude. Mais les UV A et B ne sont pas filtrés par l'atmosphère terrestre. Or les A sont responsables du vieillissement de la peau et de certaines allergies ; les B sont à l'origine des coups de soleil et des cancers de la peau. Les uns et les autres déclenchent des maladies des yeux, qui peuvent finir par rendre aveugle. C'est pourquoi il faut se protéger de ces rayons et redoubler de vigilance à la mer et à la montagne, où les UV sont beaucoup plus forts.

Le bronzage

La peau se protège naturellement du Soleil de deux manières. D'abord, elle s'épaissit, créant ainsi une sorte de carapace qui absorbe les ultraviolets. Ensuite, elle fonce en libérant un pigment, la mélanine, qui protège les cellules de l'agressivité des rayons : on bronze. Mais, si les expositions sont trop répétées, la peau ne lutte plus et la carapace se réduit. C'est alors que peut se développer un cancer de la peau. Le bronzage est donc d'abord un mécanisme de défense de l'organisme. Toutefois, même s'il fait une jolie peau dorée, il ne faut pas en abuser, sinon il perd de son efficacité.

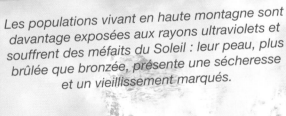

Les populations vivant en haute montagne sont davantage exposées aux rayons ultraviolets et souffrent des méfaits du Soleil : leur peau, plus brûlée que bronzée, présente une sécheresse et un vieillissement marqués.

Le coup de soleil

C'est une brûlure de la peau dont la gravité varie selon le type de peau et la quantité d'UV absorbée. La peau est rouge et douloureuse. Dans les cas les plus graves, des cloques se forment. Après un temps plus ou moins long, la peau, enduite abondamment de crème apaisante, pèle et retrouve peu à peu un aspect normal. Mais chaque coup de soleil grignote un peu plus le système de défense contre les UV. Et, quand il n'y a plus de défenses, le cancer se développe.

L'ÉNERGIE SOLAIRE

Le Soleil est une formidable source d'énergie renouvelable et inépuisable (il brille en permanence). Il permet de s'éclairer, de se chauffer et même de se déplacer. Si on pouvait exploiter complètement cette énergie, on alimenterait toute la planète en électricité bien au-delà de ses besoins. Mais cette ressource fabuleuse est difficile à récupérer, à transporter et à stocker, et reste donc très coûteuse. C'est pourquoi elle est encore peu répandue. Pourtant, alors qu'aujourd'hui un tiers de la population mondiale n'a pas accès à l'électricité, l'énergie solaire est peut-être l'énergie de demain.

Se chauffer : l'énergie solaire thermique

Les rayons solaires peuvent être utilisés pour chauffer les habitations et l'eau courante, et même faire fonctionner la climatisation. Pour les capter, on pose sur le toit des maisons ou des bâtiments des panneaux solaires faits de tuyaux de cuivre incrustés dans des tubes en verre. Dans ces tuyaux circule un fluide que les rayons solaires réchauffent lorsqu'ils traversent le verre. Le fluide ainsi chauffé circulera ensuite dans les radiateurs ou le chauffe-eau. Avec ce procédé, on peut chauffer l'eau à plus de 60 °C.

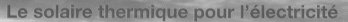

Le solaire thermique pour l'électricité

La chaleur solaire peut être utilisée dans les habitations pour fabriquer de l'électricité (de manière indirecte) ou, à plus grande échelle, dans les centrales solaires thermiques. Là, des miroirs (les héliostats) captent les rayons du Soleil et les dévient vers une tour centrale en haut de laquelle est placée une chaudière. La chaleur est ensuite transportée par un liquide qui actionne une turbine génératrice d'électricité. Ainsi, les températures peuvent atteindre 600 °C. L'une des plus grandes centrales solaires, Solucar, se trouve à Séville, en Espagne. Le site est équipé de deux tours, l'une de 115 m de haut, l'autre de 165 m. La première (ci-dessous) est entourée de 624 héliostats qui lui renvoient la lumière solaire, la seconde en compte 1 255 ! D'ici à 2010, Solucar devrait satisfaire les besoins en électricité de 18 000 foyers.

L'énergie solaire photovoltaïque

La lumière du Soleil peut aussi être directement transformée en électricité. Les satellites fonctionnent ainsi. Et ce grâce à un autre type de panneaux solaires, recouverts de cellules photovoltaïques (photopiles) ayant la faculté de convertir la lumière du Soleil en courant électrique. Comme c'est un système encore très coûteux, il est surtout employé dans les petites installations pour un usage individuel (éclairage des habitations, des laveries automatiques...). Mais, depuis 2005, les centrales photovoltaïques fleurissent un peu partout. La plus puissante du monde est en construction au Portugal. Elle devrait comporter 350 000 panneaux solaires.

De nombreux objets de la vie courante fonctionnent à l'énergie solaire : des calculatrices, des montres… En 2009, un téléphone portable équipé de capteurs solaires lui permettant de se recharger durablement a été mis en vente. On projetterait même de fabriquer des vêtements munis de cellules photovoltaïques afin de pouvoir y brancher un baladeur MP3 !

Le transport du futur sera-t-il solaire ?

Le Soleil pourrait permettre de se déplacer sans utiliser de carburant, et donc sans polluer. Pari réussi pour Bertrand Piccard, qui, dans la nuit du 7 au 8 juillet 2010, a effectué pour la première fois un vol de 26 heures à bord du Solar Impulse, un avion propulsé uniquement par l'énergie solaire. En 2013, il envisage de faire le tour du monde !

Des projets ambitieux

De nombreux projets sont à l'étude afin d'exploiter au mieux l'énergie solaire, même si certains sont difficilement réalisables. Ainsi, recouvrir le Sahara de panneaux solaires permettrait de combler les besoins en électricité de la planète entière. Des chercheurs américains, eux, projettent de construire une centrale solaire dans l'espace pour capter plus puissamment l'énergie solaire !

Un projet de tour solaire est actuellement développé en Australie. Il s'agirait de placer des serres autour d'une tour de 990 m de haut, soit trois fois la tour Eiffel ! Cette centrale d'une puissance de 200 mégawatts aurait la capacité d'alimenter en électricité environ 200 000 logements (les plus grandes centrales solaires actuelles sont vingt fois moins puissantes).

ÉTUDIER LE SOLEIL

Le Soleil est l'étoile la plus proche de la Terre, et la seule que l'on puisse observer de si près. Si la première sonde ayant eu pour but d'étudier le Soleil a été lancée en 1959 par les Américains (Pioneer 5), déjà, 200 ans avant Jésus-Christ, des astronomes chinois s'intéressaient aux taches solaires, et le savant italien Galilée, avec sa lunette astronomique, fut le premier à les observer scientifiquement au XVIIᵉ siècle. Depuis 1960, des missions spatiales sont régulièrement envoyées pour tenter de mieux comprendre l'astre solaire. Mais celui-ci n'a pas encore dévoilé tous ses secrets.

Mi-1998

Fin 1999

Début 1997

*Depuis 1995, **SoHo** a fourni de magnifiques images du Soleil, notamment de sa surface ou de ses protubérances. Il est aussi le premier à avoir observé un cycle solaire entier (voir photos ci-contre prises au cours de la première partie d'un cycle de 11 ans. Le maximum d'activité a été atteint en 2000).*

Observer le Soleil dans l'espace

Depuis les années 1960, de nombreuses nations ont envoyé des sondes pour s'approcher du Soleil. Ainsi, les sondes Pioneer, Ulysses, Yohkoh, les satellites des missions Cluster ou Stereo, entre autres, ont permis d'en savoir plus sur le vent solaire, les éruptions, le rayonnement, la composition ou le champ magnétique du Soleil. Les sondes fonctionnent à l'énergie solaire (elles sont munies de panneaux solaires) et possèdent de nombreux instruments d'analyse ou de mesure, des caméras et des capteurs d'images. Une grande antenne leur permet d'être reliées constamment à la Terre, d'où elles sont commandées, et de transmettre aux stations installées au sol, presque en temps réel, les informations et les images collectées. Ces données sont ensuite analysées par des ingénieurs grâce à de puissants ordinateurs.

Observer le Soleil depuis la Terre

Les scientifiques étudient le Soleil depuis la Terre dans de grands observatoires comme ceux de Sacramento Peak, au Nouveau-Mexique, du Teide, à Tenerife, aux îles Canaries, ou de Meudon, en France. Ces observatoires sont généralement situés dans des endroits élevés, pour pouvoir observer l'étoile dans les meilleures conditions (ciel bien dégagé, sans nuages ni pollution).

L'observatoire du Teide, situé aux Canaries à 2 400 m d'altitude, regroupe trois tours : la tour Themis (franco-italienne) et les tours allemandes VTT (Vacuum Tower Telescope) et GCT (Gregory Coudé Telescope). À l'intérieur de chaque tour, un télescope géant capte des images du Soleil, collecte sa lumière et ses couleurs. Ces données sont ensuite traitées par des ordinateurs afin de comprendre le fonctionnement de l'étoile.

Lancé le 2 décembre 1995, **SoHo**, un satellite américano-européen de 1 850 kilos, observe le Soleil en continu et collecte chaque jour des milliers d'images et de données, analysées par des scientifiques du monde entier. Alors qu'elle n'était prévue que pour deux ans, cette mission est encore active aujourd'hui. Elle est secondée par **Solar Dynamics Observatory (SDO)**, lancé le 11 février 2010 par les Américains, qui doit principalement étudier les conséquences de l'activité magnétique du Soleil sur la Terre.

SDO

Une météo solaire

Ces dernières années, les études visent notamment à déterminer les liens entre le Soleil et le climat terrestre. Le microsatellite français **Picard**, conçu par le CNES et le CNRS, a été lancé depuis la Russie le 15 juin 2010 afin d'évaluer l'impact du cycle solaire sur l'évolution des températures terrestres. Ce satellite de 150 kilos observera le Soleil en continu toute l'année, sauf l'hiver. Il mesurera pendant au moins deux ans la vitesse de rotation du Soleil, la puissance de son rayonnement, la présence des taches, l'évolution de son diamètre, etc.

*Pour étudier la couronne solaire, les Américains projettent de lancer **Solar Probe**, qui devrait frôler l'étoile à moins de 7 millions de kilomètres !*

*L'Agence spatiale européenne prévoit d'envoyer en 2015 **Solar Orbiter**, un satellite qui devrait s'approcher à près de 30 millions de kilomètres du Soleil.*

Comment observer le Soleil à l'œil nu ?

Pour les scientifiques, une éclipse totale est une excellente occasion d'étudier le Soleil depuis la Terre. Non seulement la couronne est alors observable pendant quelques instants, mais certaines caractéristiques généralement invisibles, comme les protubérances, sont également apparentes. Pourtant, attention ! Il est très dangereux d'observer une éclipse de Soleil à l'œil nu. Cela peut rendre aveugle. Des lunettes protectrices avec un filtre spécial en Mylar ou en polymère (une matière plastique noire qui ne laisse passer qu'une infime quantité de lumière et fait écran aux rayons UV et infrarouges) sont indispensables. Même les lunettes astronomiques, les télescopes ou les jumelles doivent être munis de ce filtre adapté

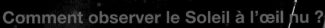

TABLE DES MATIÈRES

MDS : 660641
ISBN : 978-2-215-10468-1
© FLEURUS ÉDITIONS, 2010
Dépôt légal à la date de parution.
Conforme à la loi n° 49-956 du 16 juillet 1949
sur les publications destinées à la jeunesse.
Imprimé en Italie (07/10).